DK Dorling Kindersley Book

1er volume : My First Look at Colours
2e volume : My First Look at Shapes
3e volume : My First Look at Numbers
4e volume : My First Look at Sizes
5e volume : My First Look at Home
6e volume : My First Look at Seasons
7e volume : My First Look at Touch
8e volume : My First Look at Opposites
9e volume : My First Look at Time
10e volume : My First Look at Counting
11e volume : My First Look at Noises
12e volume : My First Look at Sorting

© 1991 Dorling Kindersley Limited.
Texte © 1991 Dorling Kindersley Limited.
Édition française © Éditions Nathan
(Paris-France), 1991.

Imprimé en Italie

N° d'éditeur : 10002229
ISBN : 2-09-210 386-5

· IMAGES · IMAGES ·

Écouter

NATHAN

Écouter les sons

Il y a des bruits tout autour de nous. Certains bruits sont forts.
D'autres sont faibles.
C'est avec nos oreilles que nous les entendons.

Un chuchotement est un son léger.

Les animaux aussi ont des oreilles.
Il y en a de toutes formes
et de toutes tailles.

Ce chien a
les oreilles pendantes.

Le lapin a de longues
oreilles pointues.

Cette souris a de petites
oreilles arrondies.

L'éléphant a de grandes
oreilles pendantes.

Faire du bruit

Comment peux-tu faire du bruit ?

En battant des mains

En tapant du pied

En chantant

En criant

Les cris des animaux de la ferme

Quels sont les cris des animaux de la ferme ?

Les canards font coin-coin.

Les cochons font groin-groin.

Les vaches font meuh.

Les chèvres font mêêê.

Les moutons font bêêê.

Les chevaux font hiii.

Les coqs font cocorico.

Les cris d'animaux

l'abeille

Connais-tu les cris
de ces animaux ?

l'oiseau

le serpent

le chien

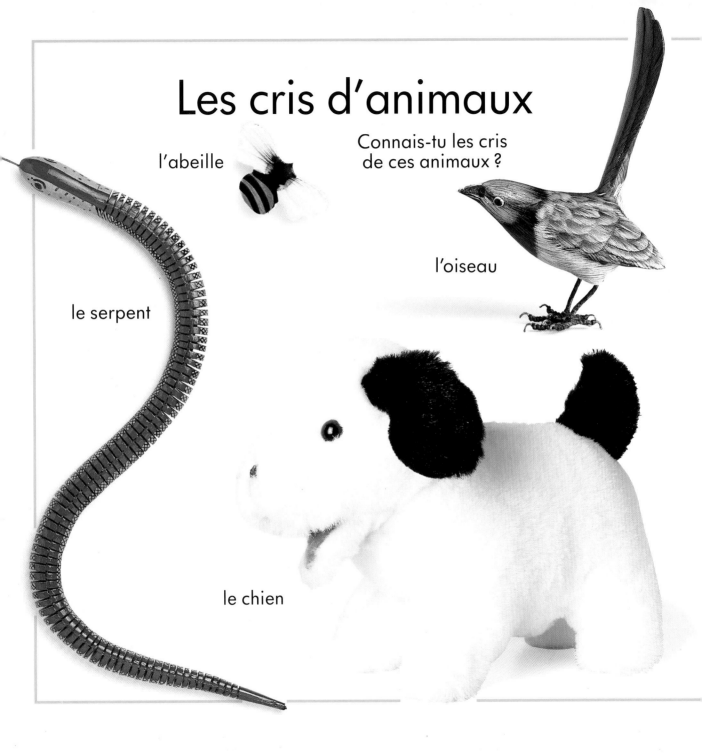

la grenouille

l'âne

le lion

le chat

Les jouets qui font du bruit

Est-ce que tu as des jouets qui font du bruit ?

une boîte à musique

un jouet qui se remonte

un jouet à tirer

un jouet
à pousser

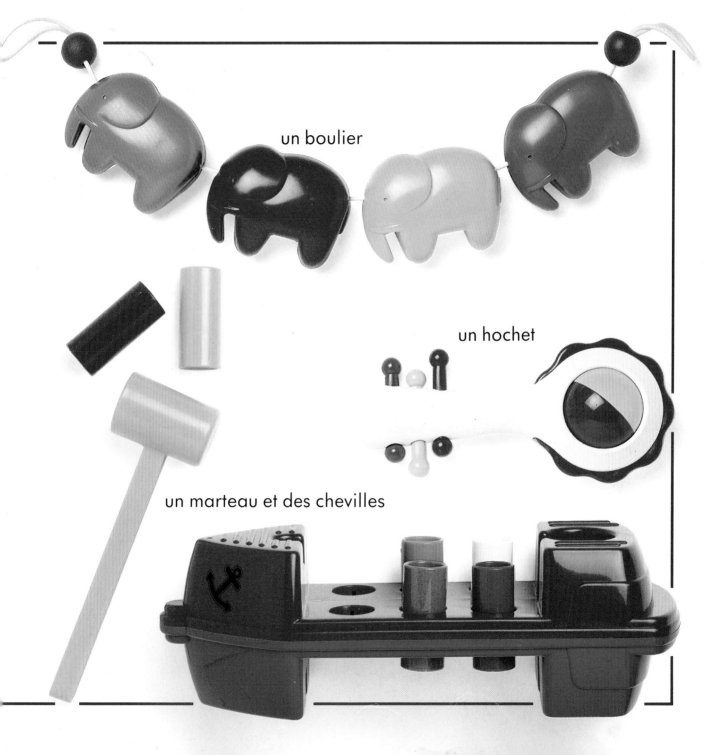

un boulier

un hochet

un marteau et des chevilles

Les sons musicaux

Avec ces instruments, tu peux faire de la musique.

une flûte à bec

un xylophone

une guitare

des maracas

un tambour

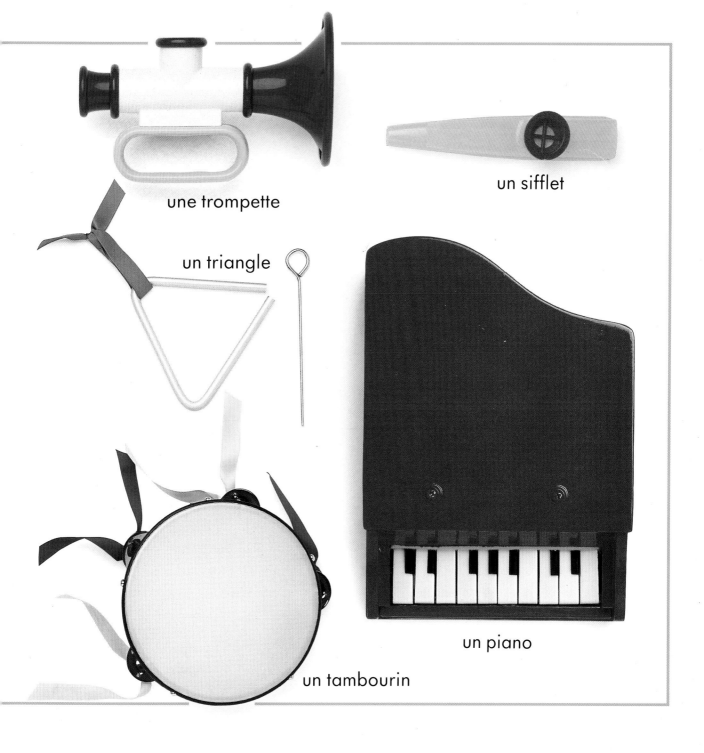

une trompette

un sifflet

un triangle

un piano

un tambourin

Les bruits des moteurs

Quels bruits font ces véhicules ?

une voiture de pompiers

une moto

un train

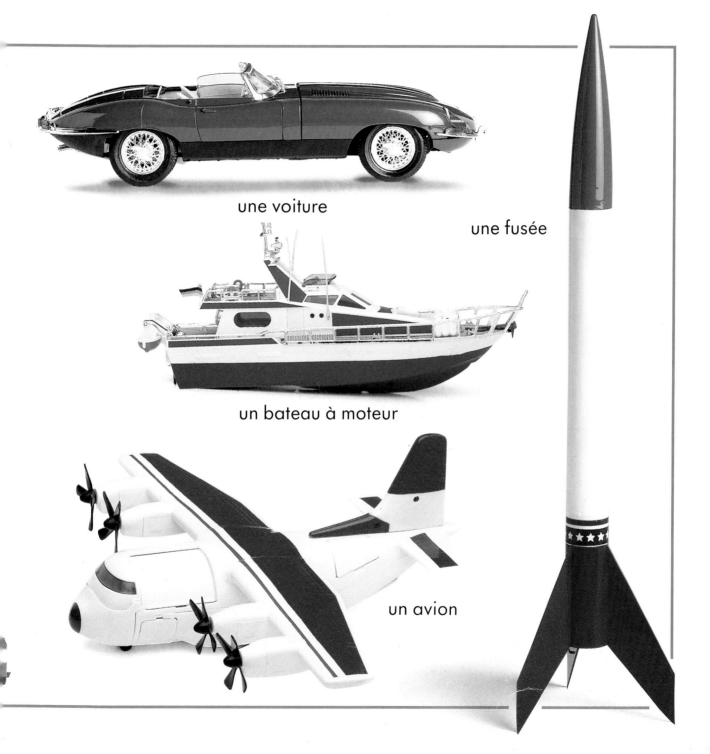

une voiture

une fusée

un bateau à moteur

un avion

Les bruits dans la maison

Quels bruits entends-tu chez toi ?

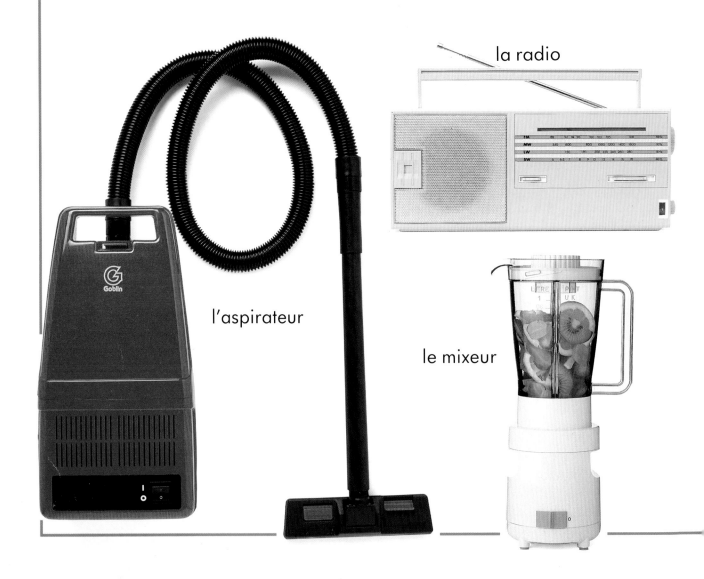

la radio

l'aspirateur

le mixeur

le sèche-cheveux

la machine à écrire

le réveil

la bouilloire

le téléphone